Das kleine

gute Wünsche

Buch

für ....

von ....

GROH

Erblüht eine Blume, zeigt sie
uns die Schönheit der Welt.
Geht ein Wunsch in Erfüllung,
bekommen wir eine Ahnung
vom Paradies.

– Jane Robinson –

Wenn du einen Menschen glücklich machen willst,

dann füge nichts seinem Reichtum hinzu,
sondern nimm ihm einige
von seinen Wünschen.

– Epikur –

Ich bin zu alt, um nur zu spielen,

– Goethe –

zu jung, um ohne Wunsch zu sein.

Unsere Wünsche **wachsen** mit den

Schwierigkeiten, denen sie begegnen.

– Michel Eyquem de Montaigne –

Ideale sind wie Sterne,

wie die Seefahrer auf dem Meer
richten wir unseren Kurs nach ihnen.

– Carl Schurz –

Wünsche sind die beachtlichsten Brückenbauer und die mutigsten Begeher.

– Elfriede Hablé –

Unsere Wünsche

sind die Vorboten der Fähigkeiten,

die in uns liegen.

– Goethe –

Des Menschen Wünsche

sind sein Himmelreich.

– Thomas Morus –

Wünsche sind im Gegensatz zu

Wunschträumen produktiv.

– André Brie –

Wenn wir sicher zu Hause sitzen,
wünschen wir uns, wir hätten

– Thornton Wilder –

ein Abenteuer zu bestehen.

Erfüllte Wünsche bedeuten Stillstand.

Solange wir leben,

müssen wir unterwegs bleiben.
– Heinz Rühmann –

Ein gewisses Maß an Begehren gibt

– Samuel Johnson –

dem Leben
erst seinen Schwung.

Man muss seine **Wünsche** nicht aufgeben.

Sie stimulieren Kreativität,
Liebe und langes Leben.

– Alexander Bogomoletz –

Wünsche muss man loslassen,
damit sie gehen können – nämlich
in Erfüllung.

– Shivani –

Die Meinung eines anderen

ist nicht das Opfer eines einzigen unserer Wünsche wert.

– Anatole France –

Kein Mensch kann wunschlos glücklich sein,

denn das Glück besteht ja gerade
im Wünschen.
– Attila Hörbiger –

Ich meine fast, wenn ich mir mit der Seele

etwas **innig wünsche**, dann erfüllt
das Leben mir solche Wünsche gerne.

– Arthur Rubinstein –

Je mehr man sich erträumt,

desto reicher lebt man.
– Rudyard Kipling –

Wünsche sind nie klug.

Das ist sogar das Beste an ihnen.

– Charles Dickens –

Der Glaube, das, was man wünscht,

zu erreichen, ist immer lustvoll.

– Aristoteles –

Das Schönste im Leben ist der Wunsch,

das Nächstschönste

die Erfüllung.

– Margaret Mitchell –

Bekommen, was man sich wünscht,
ist Erfolg.

– Charles F. Kettering –

Sich wünschen, was man bekommen kann,
ist Glück.

Freundliche Worte und gute Wünsche, die man

– Jeremy A. White –

einem anderen Menschen entgegenbringt,

kommen tausendfach zurück.

happy minis –
in dieser Reihe sind bisher erschienen:

Das kleine Glücksbuch
(978-3-89008-368-1)
Das kleine Relaxbuch
(978-3-89008-370-4)
Das kleine Freundschaftsbuch
(978-3-89008-369-8)
Das kleine Buch der Liebe
(978-3-89008-371-1)
Das kleine gute-Laune-Buch
(978-3-89008-376-6)
Das kleine Mutmach-Buch
(978-3-89008-882-2)
Das kleine Trost-Buch
(978-3-89008-579-1)
Das kleine gute-Wünsche-Buch
(978-3-89008-564-7)

Bildnachweis:
Titel, Rückseite: fotolia / Jens Teichmann; S. 2/3: istockphoto / Vladimir Ivanov; S. 4/5: Rosemary Calvert / Photographer's Choice / Getty Images; S. 6/7: Nora Good / Masterfile; S. 8/9: istockphoto / Emilia Stasiak; S. 10/11: Tim Hall / Axiom Photographic Agency / Getty Images; S. 12/13: istockphoto / Billy Chan; S. 14/15: photocase / fooo; S. 16/17: J.A. Kraulis / Masterfile; 18/19: istockphoto / Hagit Berkovich; S. 20/21: Grant Faint / The Image Bank / Getty Images; S. 22/23: Mauritius / Frank Lukasseck; S. 24/25: Mauritius / Foodpix; S. 26/27: istockphoto / Rafa Irusta; S. 28/29: istockphoto / Vilmos Varga; S. 30/31: istockphoto / Stefan Hermans; S. 32/33: IFA / Direct Stock; S. 34/35: istockphoto / Matej Michelizza; S. 36/37: Eric Meola / The Image Bank / Getty Images; S. 38/39: Mauritius / Olaf Kraass; S. 40/41: Mauritius / Pacific Stock; S. 42/43: istockphoto / cipryanu; S. 44/45: Keren Su / China Span / Getty Images; S. 46/47: Keate / Masterfile

Herausgegeben von Celeste Marin.

Idee und Konzept: Groh Verlag.

Wir danken den Autorinnen und Autoren bzw. deren Erben, die uns freundlicherweise die Erlaubnis zum Abdruck erteilt haben.

ISBN 978-3-89008-564-7

www.groh.de

087004-4253-02

Ein Lächeln schenken

Geschenke sollen ein Lächeln auf Gesichter zaubern und die Welt für einen Moment zum Stehen bringen. Für diesen Augenblick entwickeln wir mit viel Liebe immer neue GROH-Geschenke, die berühren.

In ihrer großen Themenvielfalt und der besonderen Verbindung von Sprache und Bild bewahren sie etwas sehr Persönliches.

Den Menschen Freude zu bereiten und ein Lächeln zu schenken, das ist unser Ziel seit 1928.

Ihr

Joachim Groh

GROH